JUMP COMICS

DRAGON BALL

ドラゴンボール

巻《かん》九　こまったときの占《うらな》いババ

鳥山 明

登場人物紹介

とうじょう じん ぶつ しょう かい

ブルマ

ランチ

ヤムチャ

クリリン

孫悟空

そん ご くう

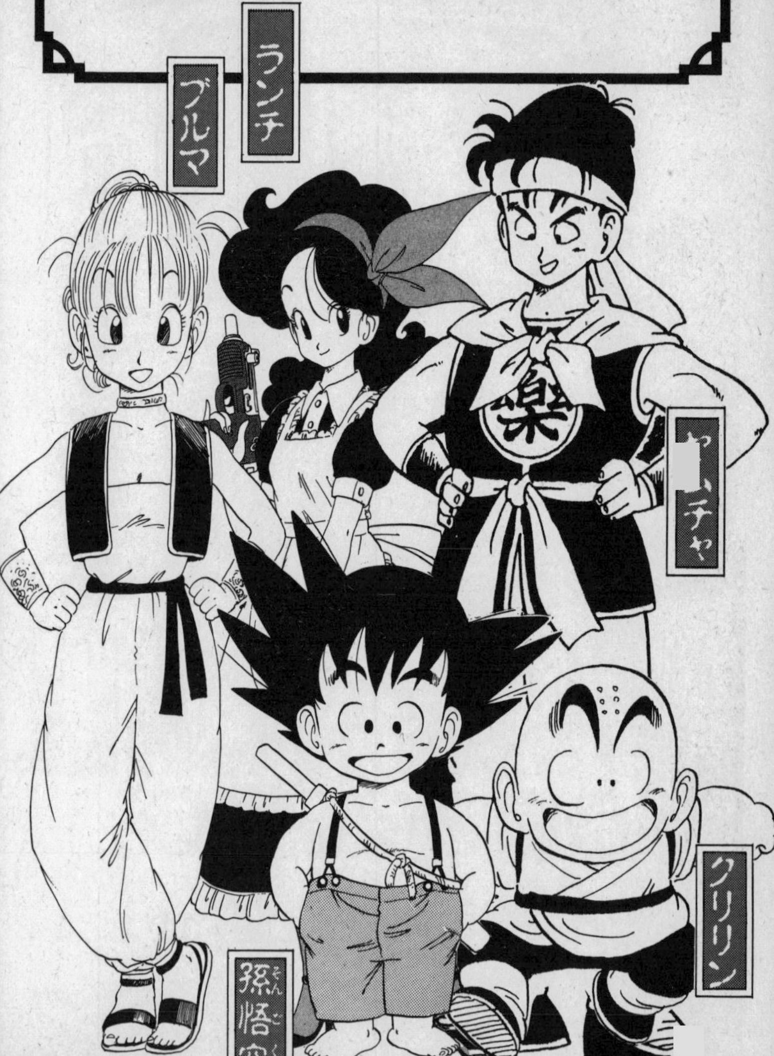

前巻《ぜんかん》までのあらすじ

むかしむかしのこと。ブルマと孫悟空《そんごくう》は、七つそろうと神龍《シェンロン》が現《あらわ》れ願《ねが》いをひとつだけかなえてくれるという不思議《ふしぎ》なドラゴンボールをさがして旅《たび》していた。大《だい》冒険《ぼうけん》のすえなんとかすべての球《ボール》を集《あつ》めたのだが、悪人《あくにん》ピラフに奪《うば》われてしまった。そこで悟空《ごくう》たちは、ギャルのパンティという願《ねが》いを先《さき》にかなえてもらう。神龍《シェンロン》は一度《ど》願《ねが》いをかなえると一年《ねん》以《い》上《じょう》はあらわれない。その間《あいだ》、亀仙人《かめせんにん》の下《もと》で修業《しゅぎょう》をつんだ悟空《ごくう》は、再《ふたた》び球《ボール》を捜《さが》す冒険《ぼうけん》の旅《たび》に出《で》る。途中《とちゅう》知《し》りあったウパの父親《ちちおや》はレッドリボン軍《ぐん》のさしむけた殺《ころ》し屋《や》に殺《ころ》された。悟空《ごくう》はレッドリボン軍《ぐん》を壊滅《かいめつ》し、球《ボール》6個《こ》まで手《て》に入《い》れる。のこるは1個《こ》だ…!!

DRAGON《ドラゴン》 BALL《ボール》 9

こまったときの占《うらな》いババ

ドラゴンボール

DRAGON BALL

其《そ》之《の》九十七　最《さい》後《ご》の龍球《ドラゴンボール》

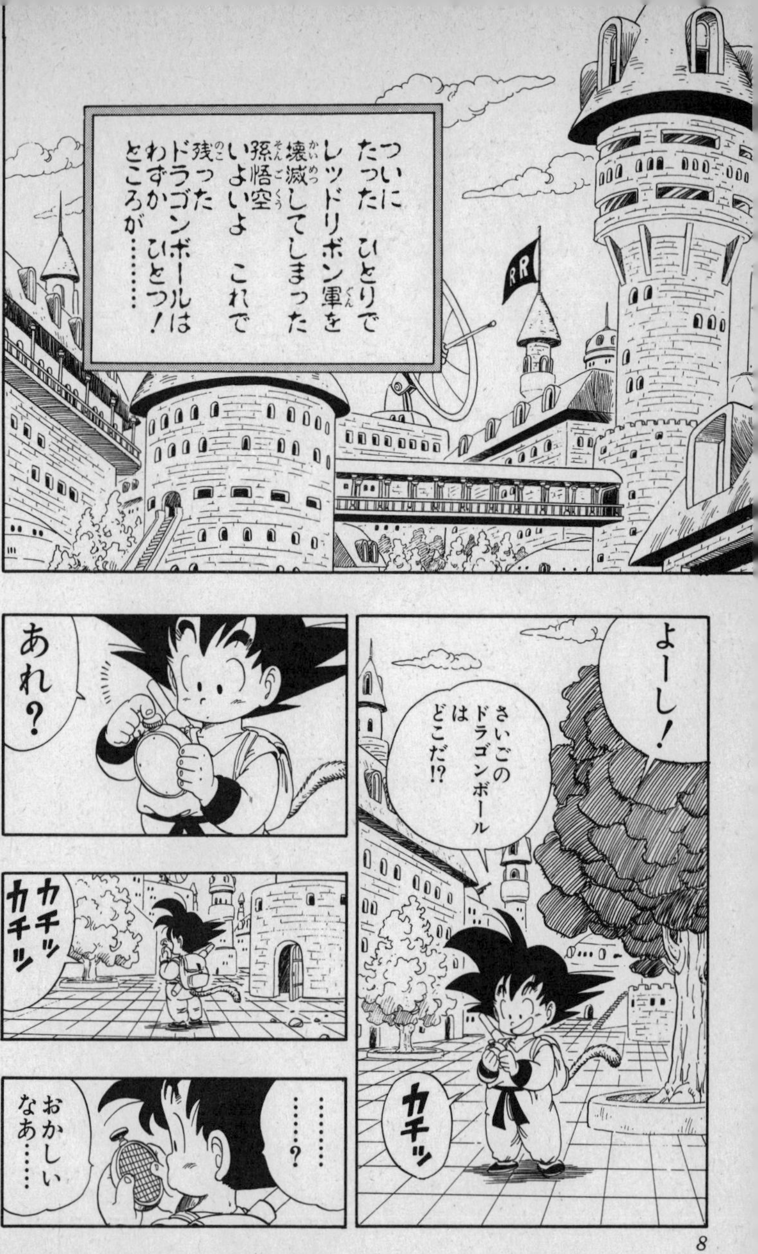
ついに
たった　ひとりで
レッドリボン軍《ぐん》を
壊滅《かいめつ》してしまった
孫悟空《そんごくう》
いよいよ　これで
残《のこ》った
ドラゴンボールは
わずか　ひとつ！
ところが……
よーし！
さいごのドラゴンボールはどこだ!?
カチッ
あれ？
カチッ　カチッ
……？
おかしいなあ……

よ―――し!! ついに きたぞ レッドリボン軍《ぐん》の 基地《きち》だ!!
着陸《ちゃくりく》するぞ!
・・・
なんで こんな はなれた 場所《ばしょ》に おりるんだ? とおいじゃないか
基地《きち》に 近《ちか》よりすぎると 迎撃《げいげき》をうける! このあたりで おりて
ヒュウウ・・・ン
敵《てき》に 気《き》づかれん ように 走《はし》って のりこもう!
さ さあ いこう!
悟空《ごくう》を 救出《きゅうしゅつ》するんだ!

まて！このままうかつにのりこんでもやばいじゃろう
作戦《さくせん》をたてるんじゃ
そ　そうですね………
みんなっ!!がんばってやっつけてこいよっ!!
あんたもいくのよっ!!!
あいてててっ!!きゅ　きゅうにハラがいたく……!!
しらじらしいうそつくんじゃないわよっ!!
………………
ブタの手《て》も借《か》りたいほどいそがしいっていうでしょ!!!
それをいうならネコの手《て》だっ!!!!
ちくしょう〜〜〜！
悟空《ごくう》のやつがよけいなマネするから…！
トロトロしてないでとっととなぐりこんでぶっ殺《ころ》してやろうぜ!!
こ…この人《ひと》…女性《じょせい》ですよね………

わい
わい
がや
がや
ブルマちゃんが
ハダカになって
兵隊《へいたい》たちを
おびきよせて
じゃなあ…
じょうだんじゃ
ないわよっ!!
あーでもない
こーでもない
では
わしは
左《ひだり》から
攻《せ》めよう
ん?
みんな
かくれろっ!!
なにか
とんできたぞっ!!
えっ!?
わー
ーっ!!
しっ
しまった!!
飛行機《ひこうき》が
みつかって
しまうっ!!
CAPSULE
CORP.
カプセルに
もどすのよっ!!
はいっ!!
ピッ

ぱっ
ふう！
発見《はっけん》されなかっただろうな…
ん…？
あ　あれ悟空《ごくう》じゃないか!?
そうじゃ!! 悟空《ごくう》じゃ!!
まいったなあ…　またドラゴンレーダーこわれちゃったみたいだ…
じいちゃんの家《いえ》にもどって　ブルマになおしてもらわねえとだめなんだけど…帰《かえ》る道《みち》が　よくわかんねえんだよなあ…

おーーい
悟空《ごくう》ーーっ!!!
孫《そん》くーーーん!!
おーーい
ここだ
悟空《ごくう》ーーー!!!
やれやれ
生《い》きて
おったか…
ん?
おーーい
悟空《ごくう》ーーっ
あれ!?
悟空《ごくう》ーっ
ここだぞーっ
あれーーっ!?
みんなーー
なんで
こんなとこに
いるんだーーっ!?
なにが
こんなとこに
いるんだーーよ!
どうやら
突撃《とつげき》するのは
思《おも》いとどまった
ようじゃな

おまえがひとりでレッドリボン軍《ぐん》にのりこんだっていうからみんなで助《たす》けにきたんだぞ！
へ〜〜〜よくわかったなあオラがのりこんだって…
あいかわらずムチャなやつだぜ
それにしてもなぐりこみをやめたのは正解《せいかい》だったぞ！
え？
オラやめてねえぞなぐりこんだ
へ!?
みんなやっつけてドラゴンボール6つそろったぞ！
え!?
み…みんなやっつけたってレッドリボン軍《ぐん》をか…？ひとりでか…？
ああ！のこったやつらもみんなにげちゃった！

プーアル ちょっと 基地《きち》のようすを みてこい！
は はい！
ほんとです——!!
全滅《ぜんめつ》しちゃってます——っ!!
な… なんと！
とんでもない やつじゃな…
け 警察《けいさつ》でも どうしようも なかった あのレッドリボン 軍《ぐん》を…
たった ひとりの ガキが…
し しんじら れん…
オラ 前《まえ》より うんと 強《つよ》くなったんだ！
じいちゃんも むかし のぼったんだろ？ カリン塔《とう》！
なぬっ!?
お おまえ のぼったのか!? カリン塔《とう》に
？
うん！ カリン様《さま》にも あったぞ！
ふしぎな 水《みず》も のめた!!
そ… そうか… それで ますます 強《つよ》くなったん じゃな…
な… なんという やつじゃ… あの超聖水《ちょうせいすい》を のむのに このわしでさえ 3年《ねん》も かかったと いうのに…

いったい なんの話《はなし》なんだ？
そうだ ブルマ!!
ドラゴンレーダー また こわれちゃったんだ なおしてくれよ
な――――に 6個《こ》も あつめたのに まだ おじいさんの形見《かたみ》の ボールは みつからないの!?
四星球《スーシンチュウ》は あったけどさ
オラ レッドリボンのやつに 殺《ころ》された ウパってやつの父《とう》ちゃんを 神龍《シェンロン》に たのんで 生《い》きかえらせてやるって 約束《やくそく》したんだ！
ほお
悟空《ごくう》さん えらいなあ！
どっちにしても ここじゃ なおせないわ とりあえず 亀仙人《かめせんにん》さんの家《いえ》に もどりましょう
わかった
ヒュウウウーーーン

あのこ どんどん 強《つよ》くなって いくわね
たいしたやつだぜ まったく
いまや このわしより 強《つよ》いかも しれんな…
えーーっ!? そ そんなに ですかっ!?
あやつは たった ひとりで レッドリボン軍《ぐん》を 壊滅《かいめつ》させた…
さすがの わしでも あれほどの軍勢《ぐんぜい》を あいてに闘《たたか》うほどの スタミナは ないじゃろう…
ほっほっほ… はかりしれんやつじゃよ まったく 悟空《ごくう》は まだまだ 強《つよ》くなるぞい
ひええ……
オレたちが つぎの天《てん》下《か》一《いち》武《ぶ》道《どう》会《かい》で 優勝《ゆうしょう》しようと おもったら わずかばかりの 修行《しゅぎょう》では 歯《は》がたちませんね
そういう ことじゃ
ガーン
ちょっと 前《まえ》までは ほとんど互《ご》角《かく》 だったのになあ…
のこりひとつの ドラゴンボール さがしは オレも 一緒《しょ》に ついていって 修行《しゅぎょう》して みるか…
ボ ボクも いこうかな ……

KAME HOUSE
おかしいわねえ…
どこもこわれてないわ…
でものこりのひとつがうつらないじゃないか
宇宙《うちゅう》にでもとんでいっちまったんじゃねえのか？
そんなにとおくまではとばないわよ
とちゅうまではちゃんと7つうつってたんだぞ
…ということは…………
なにものかがそのドラゴンボールをのみこんじゃったのかもね…

のみこんだ!? ドラゴンボールをか!?
たぶん そんなとこだわ
ドラゴンボールの特殊《とくしゅ》な電波《でんぱ》は生命体《せいめいたい》にかこまれるとレーダーにキャッチできないのよ
あんなのみこむバカがいるわけないだろ
動物《どうぶつ》がのんじゃったかもしれないじゃない ワニとか カバとかがまちがえてさ!
だとしたら もう さがしようがないんじゃないですか?
そういうことね どうしようもないわ あきらめるしかない!
こ こまったなあ…
どうしよう……
ウンコといっしょにでるかもしれないぞ!
下品《げひん》ないいかたね~…
うまくでますかねえ………
まいったなあ…
やっと6つあつまったのに…

占《うらな》いババの宮殿《きゅうでん》にいけば
きっと そのドラゴンボールのありかを教《おし》えてくれるぞよ
占《うらな》いババの宮殿《きゅうでん》？
なんですか それは…
さがしものがどうしても みつからないときは占《うらな》いババに それがある場所《ばしょ》を占《うらな》ってもらうんじゃ かならずやみつかるじゃろう
ほんとかっ!!
それどこにあるんだ!?
地図《ちず》で みると…え…と…ここじゃ ここじゃ
こんな紙《かみ》みてもわかんねえよ
オレならわかるぞ! 一緒《しょ》に いってやろう!
CAPSULE CORP.

キミたちは一緒《しょ》にいかないの?
いくわけないでしょもうコリゴリよ!
ヤムチャ わたし おさきに家《いえ》にかえってるから飛行機《ひこうき》のカプセルひとつちょうだい
オレもぜったいにいかない
じゃあ 悟空《ごくう》と一緒《しょ》に修行《しゅぎょう》してくる!
もうキケンなめにはあわないだろ……
気《き》をつけてがんばるのよ!
ヒュウウウ・・・ン
CAPSULE CORP.
KAME HOUSE
悟空《ごくう》の強《つよ》さならたぶん占《うらな》ってもらえるとおもうがのう……
?

次《つぎ》は、其之《その》九十八　占《うらな》いババ

最後《さいご》となった
7つめのドラゴンボールが
レーダーに　うつらない
思案《しあん》に　くれていると
亀仙人《かめせんにん》が
「占《うらな》いババ」のところに
いけという……
さて　どんなものでも
かならず占《うらな》って
さがしあてててしまうという
占《うらな》いババとは……
CAPSULE
ほんとに　そいつ ドラゴンボールの ありか わかるのかなあ
武天老師《むてんろうし》さまが おっしゃるんだから マチガイないと おもうが 占《うらな》いじゃなあ…
それにしても悟空《ごくう》 おまえ　服《ふく》が　もう ボロボロじゃないか おまけに　ちょっと におうぞ
ず――っと こいつ着《き》て 闘《たたか》ってきたからな
フケツ な やつ…
町《まち》におりて 服《ふく》を買《か》いかえたほうが いいだろうな 占《うらな》ってくれないかも しれないぞ
オラ べつに いいけどなあ…

SURPLUS
BOB'S
SALOON
オラ やだよ〜
こんなの〜〜〜
はははは はっ!!!
にあうじゃ ないか! おぼっちゃん みたいだぞ!
どうなさい ますか?
オラ いままで 着《き》てたやつで いいよ
じゃあ それと おなじ服《ふく》を 新調《しんちょう》いたしましょうか?
そうだな そうしてもらえ
うん!
このマル亀《かめ》という 文字《もじ》も いれますか?
うん! 表《おもて》のやぶれた ところにも いれといて! それからシッポの 穴《あな》も あけてよ

まあ　単純《たんじゅん》な服《ふく》ですからね
1時間《じかん》もあればできますよ
いちばん安《やす》い生地《きじ》でおねがいしますね
どうする?
できあがるまで茶店《ちゃみせ》にでもはいってるか
そうすね
じゃあ　オラ　いまのうちにウパをつれてくる!
もう　ちょっとでドラゴンボール全部《ぜんぶ》あつまるからな!ウパ　よろこぶぞ!
じゃあ　まちがえずに　ここにもどってこいよ──っ!!
ああ!!
ヒュン
SHERIF

あったあった!!
タッ
ウパーーッ!! いるかっ オラがきたぞーーっ!!
悟空《ごくう》さん?…
あーーっ!!! やっぱり悟空《ごくう》さーーん!!

よかった——っ!!生《い》きていたんだねっ!!
死《し》ぬもんか
ボクねえずーーっとお祈《いの》りしてたんだよ!
へへへ〜〜〜レッドリボンのやつらやっつけたぞ!
ドラゴンボールも6つあつまったぞ!あとひとつでおまえの父《とう》ちゃん生《い》きかえらせることができるんだ!だからついてこいよ!
7つめのボールはどこにあるの!?
いまはよくわからねえけど教《おし》えてくれるやつがいるんだ!
あのねえ…ボクカリンから出《で》るのはじめてなの…
ちょっとこわいなあ…
へいきさ!オラもそうだったけどいろんなもんがあっておもしれえぞ〜!
ボクも悟空《ごくう》さんみたいに強《つよ》くなれるかなあ
なれるさ!父《とう》ちゃんが生《い》きかえったら修行《しゅぎょう》してもらえ

こいつがウパだ!
は
はじめまして
こ
こんちは……へへ
悟空《ごくう》
服《ふく》できてるぞ
ボク
プーアル
わりと
かわいい
女《おんな》の子《こ》じゃ
ないか……
おまえ
男《おとこ》だろ?
はい!
な
なんだ
野郎《やろう》か
……
ちっ
さいきん
オラのほうが
男《おとこ》か女《おんな》か
わかるように
なってきたな
こ
こんなとこで
着《き》がえる
なよな…
ほほほ
WHISKY
チンチンを
かくなっ!!!
ポリ
ポリ
へへ〜
クツも
新品《しんぴん》だ!!
サンキュー
ヤムチャ!

プーアル あと どれくらいだ?
このあたりのはずですけど………
このあたりっていっても砂漠《さばく》しかみえないじゃないか…
でも武天老師《むてんろうし》さまにいただいた地図《ちず》では たしかに…
あの湖《みずうみ》のところに建物《たてもの》がある！あそこですよきっと！
なるほど!! それっぽい建物《たてもの》だ マチガイないな！

ヒュウウー…ン
CAPSULE CORP.
暑《あつ》いところですね…
ボクたちのほかにもなん人《にん》かきているみたいだな
あの～
ジロリ

はい　はい
ならんでください
ならんでください
なあ
ここ
うれないばばの
家《いえ》か？
うれないでは
ありません
占《うらな》いババ様《さま》です
あなたがたも
5人《にん》
お仲間《なかま》
ですか？
え？
あ　ああ
そうだけど…
へっへっへ〜〜〜
そうですか〜〜〜
なるほど
ね〜〜〜
では
順番《じゅんばん》が
きたら
およびします
ので
へんな
やつ…
おかしいと
おもわんか……
ならんで
いるのは
やけにゴツイ
やつらばかりだ……

いやだなあ おどかさないで くださいよ〜 きっと どこかの道場《どうじょう》の 仲良《なかよ》し5人組《にんぐみ》ですよ
いや〜〜〜 そうか そうか!
そういえば あそこに しまいこんで いたわい! 純金《じゅんきん》の つけもの石《いし》!
よかったざます わね あなた
ほら〜 ゴツイやつ ばかりじゃ ないじゃ ないですか
うむ
ヒョー……ン
はい おつぎのかたたち どうぞ〜
よ〜〜〜し いくぞっ!!
おうっ!!
………や…やけに 力《ちから》が はいってたな あの連中《れんちゅう》…
………
やっぱり なにか ようすが へんですね…

な…なんかみょうな声《こえ》がきこえますね……
どどうなってるんだ？
うぎゃーーっ
わーーっ
まいったーーっ
ひ〜〜っ ひ〜〜っ
よろよろ
ざんねんでした〜
またどうぞ〜
ぎょぎょっ!!
さあおまちどおさまでした〜
……な…なんだ？
い いまの連中《れんちゅう》どうしたんだ？
へっへっへ〜〜〜
………………
さあどうぞどうぞ

ボ…ボク
こわい…
い いくじがないなあ……
ヤムチャさま〜〜〜
さ！中《なか》へおはいりください
おつれしました〜〜〜
ほい
おやまあ
みんなずいぶんと若《わか》いのう…

おめえがうれないばばか？
・・・・・・うらないババじゃっ!!
へんな名前《なまえ》だなあ
本名《ほんみょう》ではない！アダ名《な》じゃっ!!
あのさあ
さがしてほしいものがあるんだけど
いいとも
1千万《せんまん》ゼニーおだし
い 1千万《せんまん》ゼニ――!?
カ カネがいるのか!!
そ そんな大金《たいきん》もってるわけありませんよ…！
まあ そうじゃろうとおもったがな
ではこっちにおいで
ど どうするんですか…？

な　なんだと　おもう…!?
いつでも　にげられる　よういをしておけ…!
ここで　ひとりずつ　わしらの選手《せんしゅ》と　格闘《かくとう》してもらう
勝《か》てば　そのまま　つぎの選手《せんしゅ》と闘《たたか》い　負《ま》ければ交替《こうたい》じゃ　ようするに　わしらの選手《せんしゅ》5人《にん》に　勝《か》てば　よいのじゃ
勝《か》てば　タダで占《うらな》いを　してやるぞよ
へ?
な―――んだ　そういうこと　か!
さっきの　5人《にん》は　それで　負《ま》けたのか!
ふっふっふ…　おばあさん
ボクたちのうちの　3人《にん》は　あの　天下一武道会《てんかいちぶどうかい》で　かなり　いいセンまで　いったんですよ
ほお
それは　楽《たの》しみじゃ　のう

次《つぎ》は、其之《その》九十九　5人《にん》の戦士《せんし》

ではようするにわれわれが順《じゅん》に闘《たたか》って最終的《さいしゅうてき》にここの選手《せんしゅ》5人《にん》に勝《か》てばタダで占《うらな》ってもらえるんですね！
そういうことじゃがおまえたちこどもばかりじゃのうムリじゃやめておいたほうがええ
やりますよ！な!!
とうぜんですよ！おもしろいじゃないですか
ボ　ボクは見学《けんがく》しててていいかな…
ボクも闘《たたか》いはちょっと…
じゃあこっちは3人《にん》だ!!
ほお！
おまえたち3人《にん》で5人《にん》をか？…
ほっほっほずいぶん強気《つよき》じゃのう

ふふふ われわれが 対戦相手《たいせんあいて》とは お気《き》のどくに
ルールは?
とくにない ギブアップするか 湖《みずうみ》に落《お》ちれば 負《ま》けじゃ
さあ はじめるぞい
そっちは だれから やるのじゃ?
ボクが いきましょう!!
ずいっ
クリリン がんばれ!
悟空《ごくう》の出番《でばん》は ないんじゃないかな? オレひとりで 5人《にん》ぜんぶ やっつけちゃったりして
なつかしいな 天下一武道会《てんかいちぶどうかい》を おもいだす
ドラキュラマン 出《で》よ!

ドラキュラマン……？
かわった名《な》前《まえ》だな………
ふっふっふ
キキッ
バサササ…
バタ
バタ
なんだよ コウモリじゃないか！
？
こんなのと闘《たたか》うのか？
ぱっ
キーーッ!!

ピャ〜ラリラリ〜〜
あっ!人《ひと》になった!
へっへんなやつだなあ!
キックボクシングか…!
ふふふ
キキキ!
ふんっ
ひ弱《よわ》そうなやつだ
よし!!試合開始《しあいかいし》っ!!!
かるくようすをみてみるか
はうっ!!
ばっ

ひゃおっ
むっ!
ぱっ
あ!
キキッ
なんだ あいつ また コウモリに なったぞ!!
うごきは すばやいな!
バサササ…!!
むっ
むむっ!!

ひゅん
くそーっ!!
はやいな!!
ひゅん
ぱっ
うわっ!!!
がぶっ
いいっ!!!
あっ!!
ちゅー
ちゅー
うぎゃぎゃ〜〜〜〜〜〜っ!!!
なんてやつだっ!!!
血《ち》を吸《す》っているぞっ!!!

ひええ〜っ!!!
このやろーっ!! やっ やめろよーーっ!!
クリリン ふりほどけーーっ!!
ひひひ… はやく ギブアップせんと 出血《しゅっけつ》多量《たりょう》で 死《し》ぬぞよ
どた
ばた
やあああっ!!!
だっ
これなら どうだっ!!!
さっ
ゴン

ひいい……!!!
だいじょうぶかクリリン!
くっくっく
ガキの血《ち》はさすがにうまいな
かなりごちそうになったぞ!
ゲップ
く くそ〜〜〜〜!!
くらくら
どうじゃまいったか?
まいったといえば輸血《ゆけつ》してやるぞい
このやろ〜〜〜!! よ よくも……!!
むか〜っ
ぴゅ〜〜っ
あ!

おこるな!! 気《き》をしずめろ!!
ますます血《ち》が でてしまうぞっ!!
ナムアミダブツ ナムアミダブツ…
はあっ はあっ
ふう…
ははは っ!! クリリン毛《け》がはえたみてえだぞっ!!
ぷっ
うるさいっ!!!
ぶぼーっ
くらくらくらくらっ
ひっ
ひっ
ほいっ!!!
がんっ

ぼっちゃん
あ!
ニカッ
勝負《しょうぶ》ありじゃ!!
輸血《ゆけつ》輸血《ゆけつ》!
しっかりしろよ だいじょうぶか!?
なんだよー あっさりまけちゃったなあ!
おまえがいらんこというからだよっ!!!
さあ おつぎはだれが
このドラキュラマンと闘《たたか》うのかい?

ざわ ざわ
ぼそ ぼそ
すいませ——ん！
やっぱり5人《にん》で闘《たたか》っていいすかー!?
ほれみろ！ 強《つよ》がりをいうからじゃ
ね——！ こいつらちびっこいから ふたりでいっしょでも いいだろ？
どうじゃ？
キキキ もちろんかまいませんよ!! あいつらの血《ち》の おいしそうなこと!!
よし みとめてやろう！
サンキュ——！
いいな 作戦《さくせん》どおりにするんだぞ！
ポリ ポリ
ドキ ドキ
では
試《し》合《あい》開《かい》始《し》じゃ!!
がんばれよ——!! プーアル ウパ!!
キキキキ…！

キャホキャホーーッ!!
ダダッ
きっきたっ!!
はーーっ
ぐおおおおーーっぷ!!
きっ きさま 吸血鬼《きゅうけつき》の大《だい》キライなニンニクを食《く》ったなーーっ!!!
くっくそーーっ!!
ぱっ
では そっちのおまえの血《ち》をいただくぞっ!!
はあーー
キキーッ!!

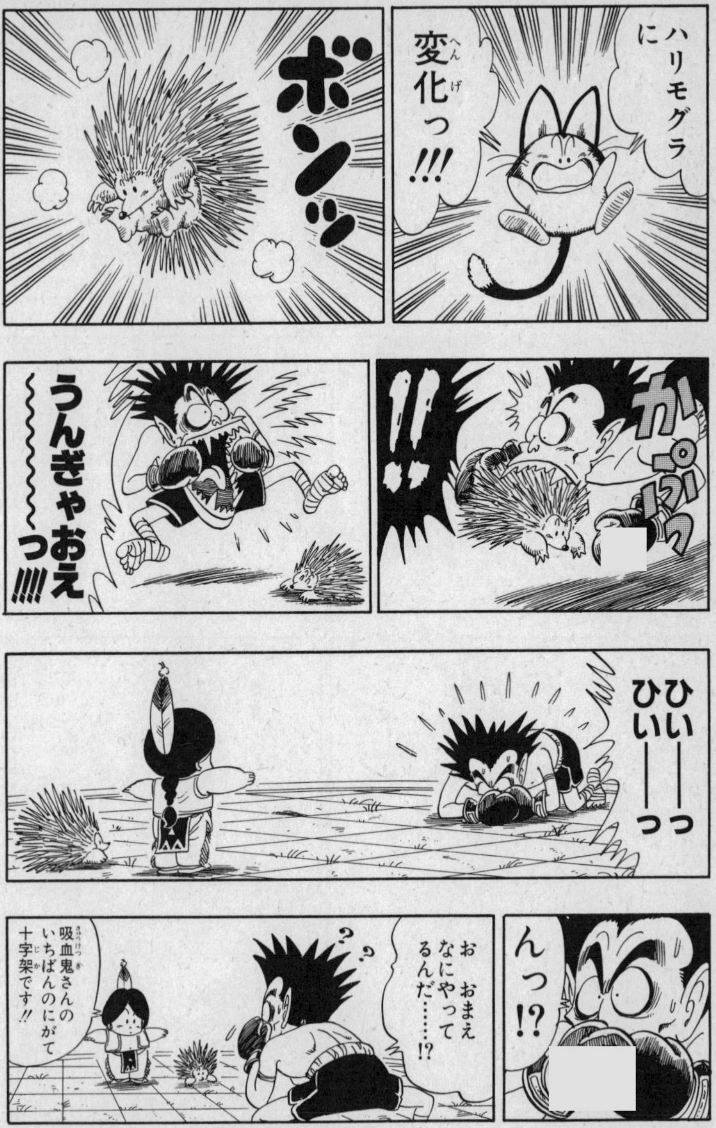
ハリモグラに
変化《へんげ》っ!!!
ボンッ
かぷっ
!!
うんぎゃおえ〜〜〜〜っ!!!!
ひいーーっ
ひいーーっ
んっ!?
??
お おまえ なにやってるんだ……!?
吸血鬼《きゅうけつき》さんの いちばんのにがて 十字《じ》架《か》です!!

ぎゃあぁ~~~~っ やっ やめろ~っ!!
バタバタッ
あっ にげた!!
変化《へんげ》!!
ボンッ
ピューーーッ
パシッ
ボッチャン
うわーっ やったやったーっ!!
ふふふ……
まあまあだな…

次《つぎ》は、其之《その》百　大《だい》流《りゆう》血《けつ》戦《せん》

あのクリリンがやられてしまったほどの強敵《きょうてき》ドラキュラマンをプーアルとウパのコンビが頭脳《ずのう》プレーでみごとに倒《たお》したしかし残《のこ》る対戦《たいせん》相手《あいて》はまだ4人《にん》もいるのである…
ふぉふぉふぉ…うまく弱点《じゃくてん》をつきおったの
しかしこっちの選手《せんしゅ》はどんどんと強《つよ》くなってゆくぞい
よし！ごくろうおまえたちはもういいぞオレがでる！
はいっ!!たすかりますっ
ほういいのか？おまえさんたちの残《のこ》りはたったふたりになってしまうぞ
あとふたりでわしらの4人《にん》をたおせるかのう
じゅうぶんだ！オレひとりで残《のこ》る4人《にん》すべてを倒《たお》してみせますよ！

オラにやらせてくれよ！
おまえはもしもの時《とき》のとっておきだオレが先《さき》に闘《たたか》う
さあ　いいぞふたりめをだしてくれ！
ヤムチャさまがんばってくださ——い!!
ふおっふおっふお…
もう来《き》ておるぞよ
え!?
どこだ？だれも来《き》ていないじゃないか
キョロキョロ
なにいってんだあのババア…

へっへっへ
見《み》えんか？
見《み》えんのか!?
そりゃ
そうじゃろ！
透《とう》明《めい》人《にん》間《げん》の
スケさんじゃ!!
とっ
透《とう》明《めい》人《にん》間《げん》!?
試《し》合《あい》
はじめっ!!!
ふっふっふ
いくぜ…！
ギョッ

ぐふっ!!!
ズダダン
ヤッ ヤムチャさまーっ!!
く くそ〜 そんなのありかよ…!
どこだ……!
どこにいやがる!!
ズドドド
ぎゃっ!!

ちっ!!!
ぶんっ
ばっ
ばっ
くそっ!!
ハアッ
ハアッ
ち
ちきしょう……!!
へへへへ…
さっきまでの
勢《いきお》いは　どこへ
いったのじゃ?
…………
な　なんだよ
なにが
どうなってんだ!?
ヤムチャひとりで
なにやってんの!?
悟空《ごくう》っ!!
武天老師《むてんろうし》さまと
ブルマさんを
いそいで
つれてきてくれっ!!
え?
なんで?
なんでも
いいから
はやくっ!!
わかった

どひゅん
筋斗雲《きんとうん》……
なにものじゃあいつは……
バキッ
ぐっ!!!
さっ
くく……!!
ま まずい!! このままでは確実《かくじつ》にやられてしまう!
あいてが動《うご》くときのわずかな気配《けはい》で位置《いち》をさぐるしかない……

ささ…
そこだっ!!!
ばーっ
ちっ
タッ
ふふふ かすったぞ
さすがの透明人間《とうめいにんげん》も動《うご》くときの気配《けはい》までは殺《ころ》せまい…
へっへっへ… それはどうかな?

わっ　わっ　わたしは
占《うらな》いババ!!
キュートなキュートな
占《うらな》いババ!!
しりたいことは
なにかしら～
ちょっぴりセンチな
たずねごと～
く!?
バチッ
!!
ドゴッ
ガッ
バキッ
ヤッ
ヤムチャさま
がんばって…!!
ひひひ
はあっ
はあっ
だ…だめだ
あの歌声《うたごえ》で
透明人間《とうめいにんげん》の気配《けはい》が
消《け》されてしまう…!!

まいったか⁉
はっきりいって おぬしに勝《か》ち目《め》はないぞい
く…くそ〜…敵《てき》の姿《すがた》さえ見《み》えれば……‼
お——い クリリンつれてきたぞ——っ‼
しめた‼ まにあった
おや…
なによ いったい！ これから都《みやこ》の家《いえ》に帰《かえ》るところだったのに‼
わしらに用《よう》でもあるのか？
い いえ
ちょっと この試合《しあい》を見《み》てて いただきたいのですが
試合《しあい》⁉
ささっ！ ブルマさんはこちらで見《み》てください
武天老師《むてんろうし》さまはこっちで！

あら!? なにしてるのよ ヤムチャ
はやく こっちへ ブルマさんっ
ズドド
おうっ おうっ!!
武天老師《むてんろうし》さま もうすこし 上《うえ》をむいてっ!!
はあ?
なによ これじゃ わたしは 見《み》えないじゃない!
?
?
つかれる 見《み》かたじゃ のう…
いいですか!! そのまま そのまま…
いまだっ!!!

ぐいっ
ぷりりんっ
!!
ゔおおお

えっ⁉
わっ!!!!
ばしゃっ
なにっ⁉
げげっ!!!
あっ!!!
しめた
見《み》えたぞっ!!!
まずいっ!!!
狼《ろう》牙《が》
風《ふう》風《ふう》拳《けん》!!!

つおおおっ!!!
ズガガ
せいっ!!!
ドンッ
ぎゃふんっ!!
まっ
まいりました
すいません!

ふう・・・
やった——っ!!!
バンザイ バンザー——イ!!
ガン
あんた清《きよ》らかな乙女《おとめ》のオッパイをなんだとおもってんのよっ!!
ボ ボーイフレンドを助《たす》けてあげたんじゃないですか……!
おまえ老人《ろうじん》を出血《しゅっけつ》多《た》量《りょう》で殺《ころ》すつもりか
も もうしわけありません やむをえなかったもんですから
…でもないしょでほめちゃう
へへ…
けっこうやるじゃないかえ
じゃが残《のこ》りの3人《にん》は実力《じつりょく》派《は》じゃぞほほほ……

次《つぎ》は、其之《その》百一　悪魔《あくま》の便所《べんじょ》

武天老師《むてんろうし》さまブルマさんきてたんですか!!
ピースじゃな
いまごろ気《き》づいてやんの…
ねえあれが占《うらな》いババっていう人《ひと》?
そうです
ところでなんでドラゴンボールのありかをききにきたのに
試合《しあい》なんかをしてるわけ?
ふつう占《うらな》いババさんにものをたずねるばあい法外《ほうがい》な お金《かね》をとられるらしいのです
しかしそのような大金《たいきん》がないばあいには占《うらな》いババさんチームと闘《たたか》って 5人《にん》すべてに勝利《しょうり》すればタダでおしえてくれるのです
あいかわらずがめついのう
姉《ねえ》ちゃんは………

なんですか その 姉《ねえ》ちゃんて…
占《うらな》いババは わしの姉《あね》じゃよ
なっ なんですって!?
ふん ひさしぶり じゃのう
あいかわらず ふらふらと あそんどるのか
それにしても スケベは なおっとらん ようじゃな
ほっといて ちょ
武天老師《むてんろうし》さま そういうこと でしたら こんな やっかいな ことをしないでも 占《うらな》って くださるように 頼《たの》んでくださいよ
いやだね
わしは金《かね》と この試合《しあい》が 楽《たの》しみなんじゃ
へいき ですよ
これも 修行《しゅぎょう》に なるんですからね

よういった 次《つぎ》の対戦相手《たいせんあいて》からは 場所《ばしょ》を かえて 試合《しあい》をしてもらう
ついておいで
ついでだから 最後《さいご》まで 見《み》ていこうかな
姉《ねえ》ちゃん お金《かね》 おくれよ〜
じょうだん じゃないね 働《はたら》きな！
あんた だれなの？
あ ボク ウパと いいます
ああ！ 悟空《ごくう》が ドラゴンボールで 生《い》きかえらせるって はりきってるのは あんたの お父《とう》さんね！
はい！
あまり かかわりあいに ならないほうがいいぞ そのおねえさんは こわいんだ
どういう いみよっ!!!

こっちじゃ
………
どんなところで試合《しあい》をするのかな…
悪魔《あくま》の便所《べんじょ》じゃよ
あ悪魔《あくま》の便所《べんじょ》!?
なんですか!? そこは…
なにかアドバイスはありませんか!?
ある!
死《し》ぬな!
これがアドバイスじゃ
………
参考《さんこう》になりました……
選手《せんしゅ》はここからはいるのじゃ
はい
ほかの者《もの》はこっちじゃ試合《しあい》がよく見《み》えるぞ

ここで見学《けんがく》しておれ
……？
なっなんだここは!!!

その悪魔《あくま》たちのベロの上《うえ》で闘《たたか》ってもらうのじゃが
底《そこ》は猛毒《もうどく》の沼《ぬま》じゃ おちたら死《し》ぬぞよ
ボコッ
ボコ…
肉《にく》をおとすからよーく見《み》ておれ
ぽい
ばちゃ
じゅぼん

あ……‼
このように沼《ぬま》に おちれば きれいさっぱり とけて なくなる
ひえええ……‼
な… なるほど………
悪魔《あくま》の便所《べんじょ》か……！
試合《しあい》を よすなら いまのうちじゃぞ
若《わか》いのに 死《し》にたくは なかろう
お おもしろそうじゃないか！ やってやるぜ！
ひっひっひ そうこなくちゃな
では3人《にん》めの 選手《せんしゅ》を 紹介《しょうかい》しよう

姉《あね》は悪趣味《あくしゅみ》 弟《おとうと》はスケベ サイテイのきょうだいね!!
……
闘《たたか》う干物《ひもの》ミイラくんじゃっ!!!!
ずん。。

ぐっふっふ…………
やれやれ
透明《とうめい》人間《にんげん》のつぎはミイラか…

よいな まいったと いうか 死《し》んだら 負《ま》けじゃぞ
では始《はじ》めいっ!!!!
力《ちから》だけで押《お》すタイプのようだな…
よし! このせまい足場《あしば》を逆《ぎゃく》に利用《りよう》してスピードと技《わざ》で勝負《しょうぶ》だ!
ヤムチャさま死《し》なないでくださいねーっ!!

つおお――――っ!!!
なっ⁉

スッ
ぶんっ
ひっ!!!
ばっ
びっ
ぶんっ
ばばばっ

ははやい……!!
そうかなあ…
え?
ダッ
くっ!!
わっ!!!

!!
ガッ。
く…!!
あがれ
こんなに はやく 勝負《しょうぶ》が ついたんじゃ おもしろく ねえ
ニタ…

おまえの実力《じつりょく》はそんなもんか?
く…!!
そ それにしてもなんというスピードだ……!!

なに やってんのよ
そんな包帯野郎《ほうたいやろう》
さっさと かたづけ
ちゃいなさいよ!!
ヤムチャ
さま
がんばって
ください
――っ!!
みせてやるぞ
狼《ろう》牙《が》拳《けん》!!!!

ばばばっ
はーーっ!!!!
ばっ
わっ!!!
どっ

じあーっ
どぼっ
ぎゃ……
あ……!!
ヤムチャさまーっ!!!
これいじょう
おまえと闘《たたか》っても
つまらんな
まいったと いえ!
くく……
……!

ひっひっひ……
さすがにあいてにもならんわい
ぐっ!!!
ぱしっ
!!
おちたっ!!!
やったわ!!!

ひゅーん
わるく
おもうな
………!!
しゅっ

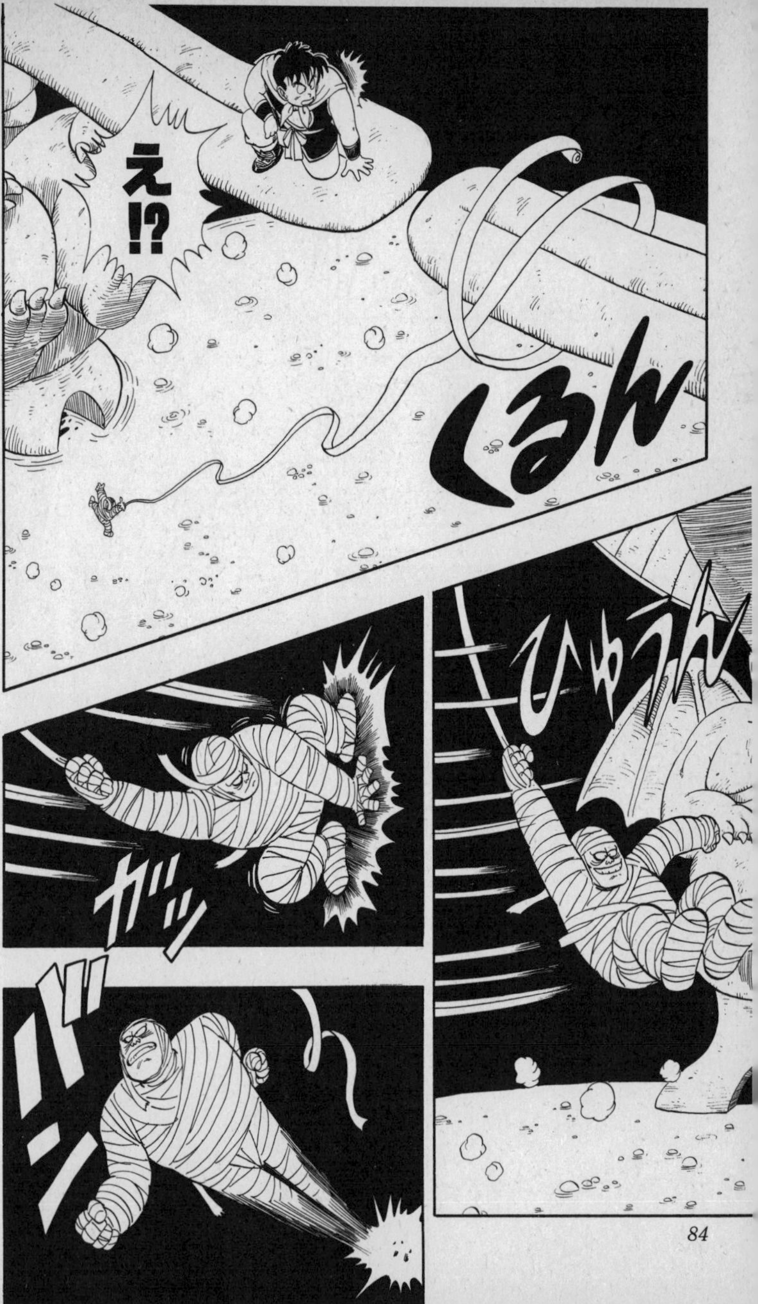
え!?
くるん
ひゅうん
ガッ

ニヤーッ
スタッ
わっ!!!!
ニヤッ
へっ!つまらん手《て》をつかってくれるじゃねえか
覚悟《かくご》はできてるんだろうな

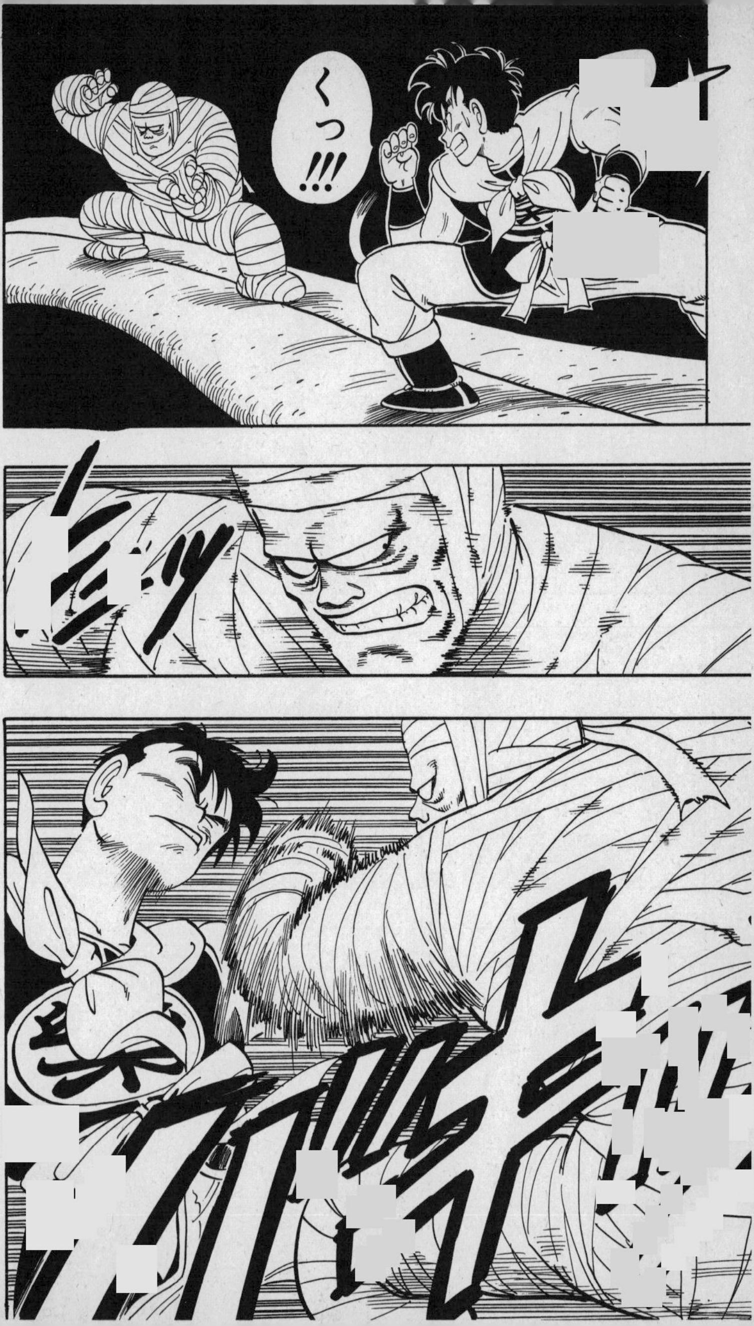
くっ!!!

グッ
ギブアップするか
それとも このまま 毒沼《どくぬま》に ぶちおとされたいか!?

ま…まいっ…た……
けっ！はやくそういやいいんだよ！
へっへっへ
もう終《お》わりか一方《ぽう》的《てき》な試合《しあい》じゃったのう
げほっげほっ
ヤムチャさま——っ!!!
だいじょうぶか!?ヤムチャ！
だらしないわねえ！あんな大《おお》ケガしてるやつに！
あれは べつに大《おお》ケガして包帯《ほうたい》まいてるわけじゃありませんよ…
それにしてもおそろしいウデの持《も》ち主《ぬし》じゃ…
す すまん悟空《ごくう》…まさかこんなところにあれほどのやつがいるとは…

ひひひ…さあ おまえたち 最後《さいご》の5人《にん》めは だれじゃ? 試合《しあい》を はじめるぞよ
それとも あきらめて もう やめに するか?
オラだ!! もちろん やるさ!!
悟空《ごくう》さん もういいです!! 死《し》んじゃいますよ やめてください!!
へいき へいき まかせと けって!!
がんばれ 悟空《ごくう》 死《し》ぬなよっ!!
おう!!
むっ
ほっ

よーし！いつでもいいぞ!!
はっはっは!! じょうだんは よせ！おまえが最後《さいご》の対戦者《たいせんしゃ》だというのか!?
へっへっへっへ……!!
あんなチビ助《すけ》に勝《か》ってもうれしくないのう
武天老師《むてんろうし》さま！いくら悟空《ごくう》が強《つよ》いと いっても勝《か》ちめはあるのでしょうか!?
う～む……
いままでの悟空《ごくう》ではおそらく勝《か》てまい…
しかしその後《ご》の修行《しゅぎょう》であやつは確実《かくじつ》にウデをあげていると 見《み》たがな…どうじゃろ…

では
試《し》合《あい》開《かい》始《し》じゃ
やれやれ…
かかってこい!
それともオラのほうからいこうか?
し〜〜ん
………みよ……みようだな……
あいつ あんなかまえなのにスキがまるでない……

次《つぎ》は、其之《その》百三　孫悟空《そんごくう》　強《つよ》し!!

さあ こいったら!
くそ~~~…!
あんなにちいさなガキのくせに みょうに大《おお》きく見《み》えやがる…!
なにをしておる!!
さっさとはじめぬかっ!!

よしっ!!!!
お
や!!!!

いかんっ!!!
まともにくらった!!!
バキッ
たっ!!!!

!!
ギャン

ドサ
……あ……
へっ 終《お》わったぜ!
たいしたこたあ なかったじゃ ねえか
へっへっへ 気絶《きぜつ》したら もちろん 負《ま》けじゃぞ
おい ぼうず 気絶《きぜつ》しとらん かったら 返事《へんじ》をしてみろ
どうじゃ? え?

よっ!!
ビクッ
なにっ!?
つぎはオラの番《ばん》だ!!!
ぶん
ぶん
かくごはいいか!?

なんというやつじゃ…
あれほどの攻撃《こうげき》をうけてなんのダメージもくらっとらんわい…!
こっ このやろう………!!
それほど死《し》にたいのかっ!!

……が……

ドサ…
!!
おい
返事《へんじ》
できるか?
お———い…
返事《へんじ》がねえな…
ばあちゃん
オラの勝《か》ちだろ?
あ…
ああ…
そのよう
じゃな……
へへへ
やった!
やった!
ズル
ズル
次《つぎ》の
試合《しあい》にジャマだから
はこんでってやるよ!
ポカー…ン

た…たったの一撃《げき》で…
そ…そんなバカな…
ど…どういうことだ…
ま まさかこれほどまでとは……
悟空《ごくう》のやつめとんでもない大物《おおもの》になりおったわい…
孫《そん》くんそ…そんなに?
うむわしも驚《おどろ》いておる…
たったひとりでレッドリボン軍《ぐん》を全滅《ぜんめつ》できたわけじゃ…
すごい やつだなあ…あいつ いつも平気《へいき》そうな顔《かお》してるからわからなかったけど………
たしかにそうとうな危険《きけん》をかいくぐってきたはずだ………
ばあちゃんあと ふたりに勝《か》てばいいんだろ!?

へんっ お調子《ちょうし》に のりおって!!
笑《わら》って いられるのも いまのうち じゃぞ!!
あのガキ けっこう腕《うで》が たつようだな
ふっ ふっ ふ…
なんだ なにか おかしい のか
いやいや なんでも ないよ
ここまで きたやつは はじめてだが
オレさまに 勝《か》てるわけは ないぜ

よーし！4人《にん》めの選手《せんしゅ》じゃ!!
アックマン!!! 出番《でばん》じゃぞ!!!
へんなやつばかりだな
なに!? もうアックマンをだすのか!?
やつは いままでは5人目《にんめ》を務《つと》めていたはず……ということはもっと すごいやつが最後《さいご》に控《ひか》えておるのか!!

はじめよ!
あ!
なによ ずるいじゃない!!
飛《と》べるなんてっ!!
こぞう オレさまの故郷《こきょう》につれてってやろうか!?
地獄《じごく》にな!!

死《し》ねっ!!!!
たっ!!!
ガッ
!!!
なにっ!?
はっ はやいっ!!!
……くっ……!!

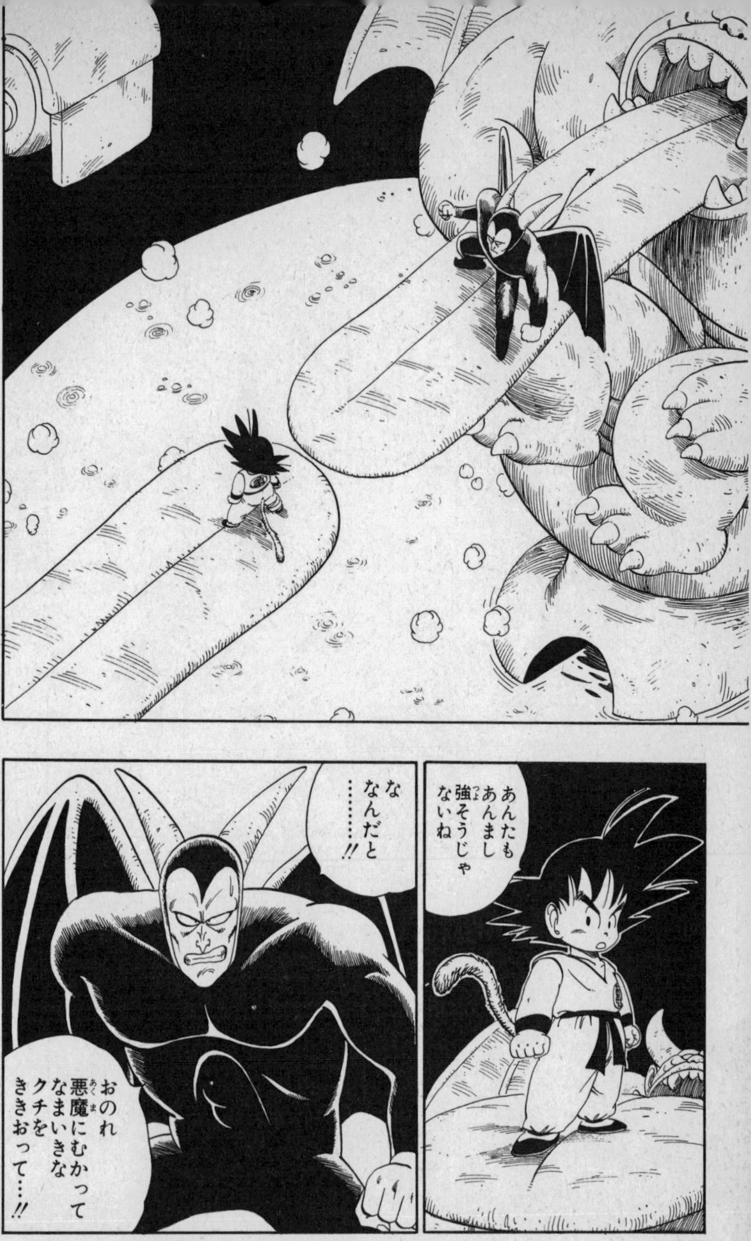
あんたもあんまし強《つよ》そうじゃないね
な　なんだと………!!
おのれ悪魔《あくま》にむかってなまいきなクチをききおって…!!

なにをしておるアックマン!! さっさとかたづけてしまえいっ!!
ははっ!!
とおっ!!!
ぶんっ
よっ
ぱっ
ほい

くっ!!
ダンッ
!!

ひゅーん
ぐっ!!!
ばっ
ばさっ
ばさっ
はあっ はあっ
くっ くっくっく
あ あれごときで
このアックマンさまが
やられるわけは ないぜ!!
うん! だって手《て》かげんして やったもんね
なっ なんだと!!

な——んだ あいつ たいしたこと なさそうだな！
いいや とんでも ない！
やつは 過去《かこ》 天下一武道会《てんかいちぶどうかい》で 二度《ど》も 優勝《ゆうしょう》したほどの 達人《たつじん》じゃよ
悟空《ごくう》が 圧倒的《あっとうてき》に 強《つよ》すぎるん じゃ
ふえええ〜〜〜
天下一武道会《てんかいちぶどうかい》で……
アックマン!!
おまえほどの 者《もの》が だらしないぞえ!!!
なにを おっしゃいます
オレの ほんとうの力《ちから》を 見《み》せてやりますよ！
すっ
ん？

どんなによいこぶったやつにもぜったいにすこしは悪《あく》の心《こころ》がある
そのわずかな悪《あく》の心《こころ》をどんどんふくらませれば爆発《ばくはつ》を起《お》こす!
おまえはこっぱみじんになって死《し》ぬのだ!!!
?
はあ?
やばい!!
アクマイト光線《こうせん》じゃ!!やつは本気《ほんき》で悟空《ごくう》を殺《ころ》すつもりじゃっ!!
ふんっ!!!

まて
アックマン!!
そこまで
せんでも・・・!!!
ズゴゴゴゴ

なんだっ!?
ふはははっ
ふくらめ ふくらめ
悪《あく》の心《こころ》よ!!!

爆《ばく》発《はつ》だっ!!!!
ぎゃははははは——っ!!!!
ごっ悟《ご》空《くう》っ!!!
もっもうだめじゃっ!!!
それっ!!
ドカンッ!!
ドカン……
ド……
!!

なあ
これがなんだっつうの？
バ　バカな……まさか……
あ…悪《あく》の心《こころ》がじぇんじぇんないというのか………!!
ポツ
きえた…
な…なんというこぞう……
ま　まるで赤子《あかご》や動物《どうぶつ》のような心《こころ》じゃ……!!

やった!!
たすかったぞっ!!
ほっ
やれやれ…純真《じゅんしん》というかなにも考《かんが》えてないというかとにかく助《たす》かったようじゃ
いつもいやらしいことばかり考《かんが》えておるだれかさんじゃ助《たす》からなかったわね
いうとおもった……
……と……とっておきの技《わざ》が………
パッ
あっ!!

しゅっ
わっ!!
ひゅっ
とっ!!
きたねえぞ!! とつぜん 武器《ぶき》をつかうなんて!!
よし!! そういうことなら 本気《ほんき》でやってやる!!

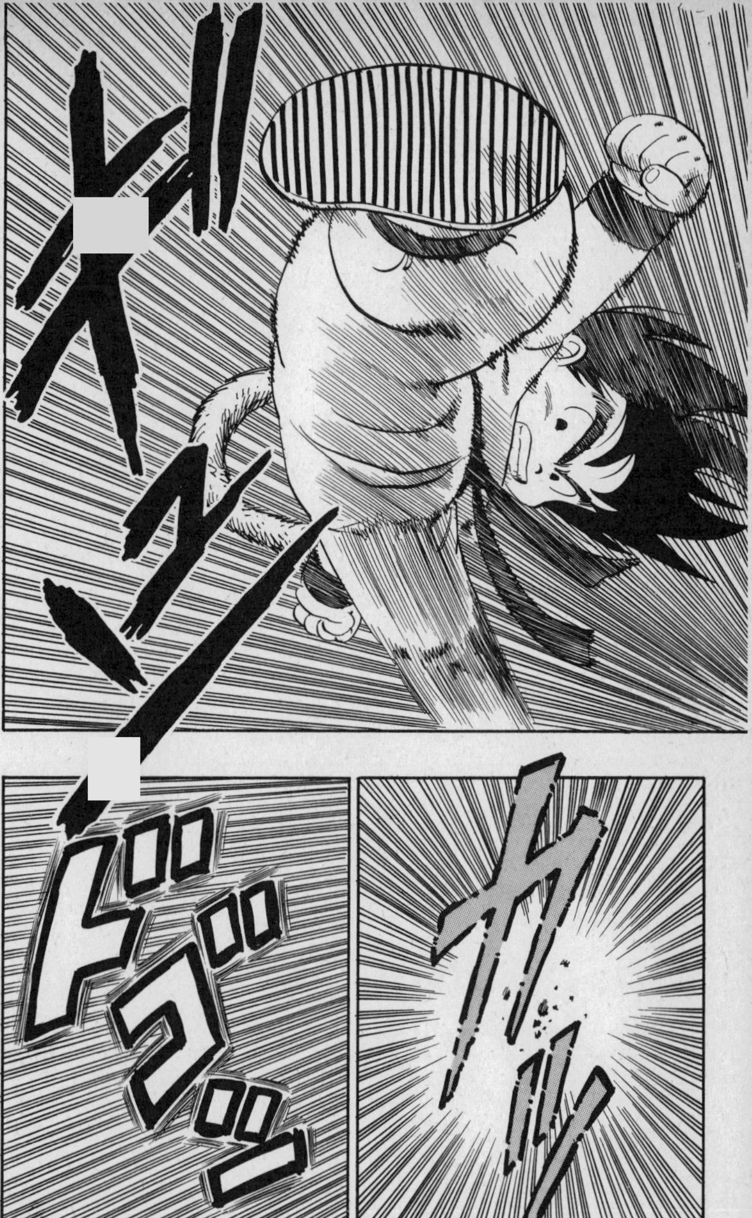

パラ パラ・・
ちょっと やりすぎた かな……
み…み… 見《み》えんかった……この わしが……
し…… しんじられん スピードじゃ……!!
……!!

次《つぎ》は、其之《その》百五　5人目《にんめ》の男《おとこ》

また勝《か》っちゃったぞっ!!
ニヒ!!
すげえぞ悟空《ごくう》っ!!!
たまげたな……
その調子《ちょうし》よ!!最後《さいご》のひとりもかるくいただきだわ!!
くくそ~……!!とんでもないやつじゃ……

あと ひとりだ!! こい こい こいっ!!!
ふん! やるのう… ここまで 勝《か》ち進《すす》んだのは おまえたちが はじめてじゃ
だが ここまでじゃよ わしらの 5人《にん》めは とんでもない達人《たつじん》 でのう…… ひっひっひ……
やっと出番《でばん》が きたぞよ!!!
はい はい はい…と

やあ
…え？……
や…やあ
なんだ あれ！ あ あいつが とっておきの 選手《せんしゅ》か…？
ババさま おねがいが ありますが
ん？ なんじゃ いってみよ
この こぞうとは おもいきり 闘《たたか》って みたいと おもいますのじゃ
せまい ここではなく 外《そと》の競技場《きょうぎじょう》で やらせて いただいても よろしゅう ございますかいな
ほう…… なるほどな
いいじゃろ おもいきり やるがよい

どうじゃ
勝《か》てるか？
さあて
どうです
かな
おい
しめたな悟空《ごくう》
たいしたこと
なさそうだぞ
かるく
いただきだ
なんだ
どうしたんだ？
つかれたのか
？
いや
つかれて
ねえけど…
あいつ…
いい　ニオイが
する………
え？
そうか？
ギョウザでも
食《た》べて
きたのかな？
そうじゃ
ねえ……
よく
わからねえ
けど…
うれしい
ニオイだ……

あいかわらずへんなこというやつだなおまえ……
ババさま
うん？
ぼそぼそぼそ
武天老師《むてんろうし》さまどうしたんですかさっきからだまって…
う～む……
なに心配《しんぱい》してんのよ！いまの孫《そん》くんは天下無敵《てんかむてき》だわ！負《ま》けるわけないじゃない!!
いやそのことではない……

あやつの声《こえ》に聞《き》きおぼえがある……どこかで会《あ》ったことがあるような気《き》がするのじゃが……
どうもおもいだせん……すごいやつだというのは気配《けはい》で　わかるんじゃが……
えっ!あいつすごいんですか!?
うむ姉《ねえ》ちゃんが自信《じしん》をもって　いるだけあってかなりの達人《たつじん》と　みた
そ〜お?
とても達人《たつじん》には見《み》えないけどな
ほうなんと!!そういうことかいな!
そうか　そうかへっへっへそりゃ楽《たの》しみじゃわい
試《し》合《あい》まだー?
?

よーーし では 最後《さいご》の 試合《しあい》を はじめるぞよ どちらかが まいったと いうまでじゃ
むりじゃと おもうが もしも これで こぞうが勝《か》てたなら ドラゴンボールとやらの ありかを 占《うらな》ってやるわい
ペコリ
がんばれよ 悟空《ごくう》!!
ゆだん するな!!
よーーし!! ぜったいに 勝《か》つぞっ!!
こりゃ! 試合前《しあいまえ》の 一礼《れい》をせんか!
え?
あ ああ そうか…
ペコリ

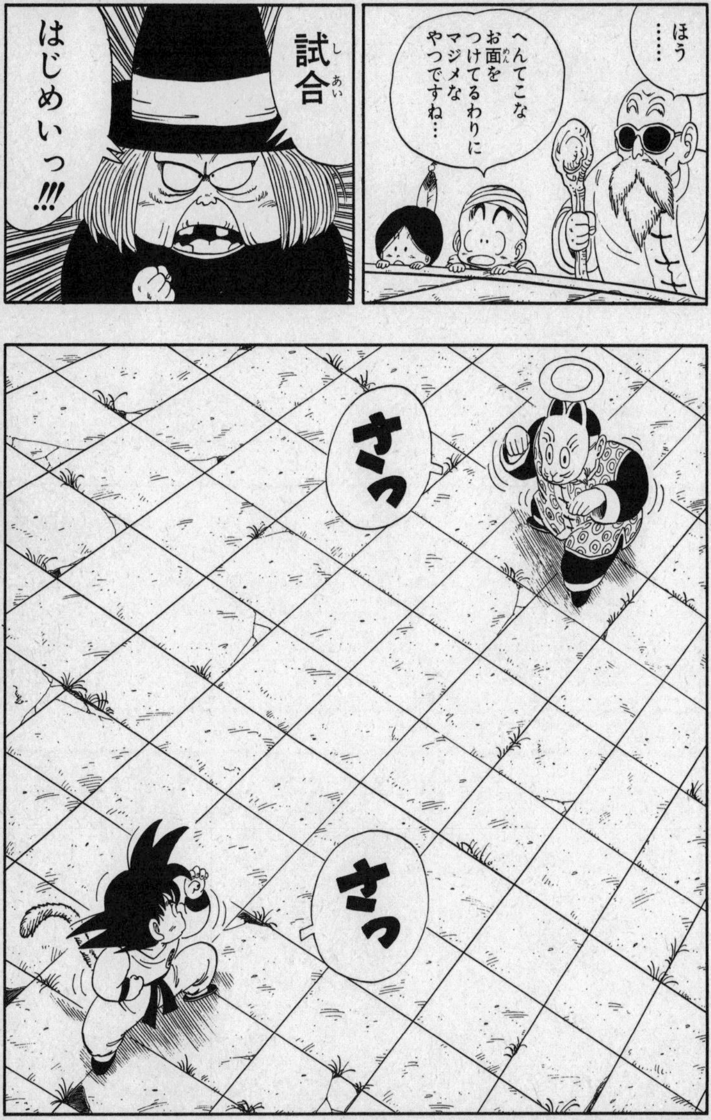
ほう……
へんてこなお面《めん》をつけてるわりにマジメなやつですね…
試《し》合《あい》はじめいっ!!!
さっ
さっ

むう……
ごく……
こ……
こりゃあ
すごい試合《しあい》に
なりそうじゃ…

ちがう……
いままでのやつらとはぜんぜん迫力《はくりょく》がちがう……!!
こい!
うんっ!!!
たっ!!!!
ドンッ

!!
つおっ!!!!
ギュンッ
くっ!!!
やっ!!!
パシッ

ぐぐぐ……!!
ぎぎぎ……!!
ぱっ
タッ
くるくるるっ
バーッ

!!
むっ!!!

次《つぎ》は、其之《その》百六　強敵同士《きようてきどうし》

な なんという 試合《しあい》じゃ 悟空《ごくう》も すごいが あやつも また すごい…
な…なにものだ あいつ……

ビシッ
ガッ
パシ
パン
バキ

ガッ
あっ!!
わわっ!!
上《うえ》に投《な》げた!!! どうするつもりじゃ!?
ぐっ

あっ!!!
ズドン
ぎ!!!
ズギャ

ぬりえ

おスキな色《いろ》でぬって豪華《ごうか》なフンイキをあじわいましょう

ぎゃわわわわ!!!!
ボッガン
やばいっ!!!!
ほっほっほ
さすがに
いまのは
きいたじゃろ

ボンッ
あっ!!!!
なにっ!?

キーン
バンッ
とおっ!!!
あ!!
タッ
グオオオ!

ぐっ
む!?
ズドッ

!!
タッ
へへへ…
あんたつええなあ… オラ わくわくしてきたぞ!
し しんじられん鍛《きた》えかたじゃ…
わしの蹴《け》りを正面《しょうめん》からうけとめおった…!!

よーーし　では　ひとつ　おどろかせて　やると　するか…
す…
ん!?
か
へ!?
ま　ま　まさか…!!
……!!!

は
そんな……!!
う うそだろ……!?
？
め
えっ!?
ほんと!?
波《は》!!!

!!
ぬ!?

ふっ
きっ
消《き》えおった!!!
残《ざん》像《ぞう》拳《けん》かっ!!!!
やっほー
はっ!!!
こ…こいつはたまげたわい……
かめはめ波《は》か……
あやつまさか……
え？

ドラゴンボール
DRAGON BALL

其《そ》之《の》百七　悟空《ごくう》のシッポ

ここでした——!
やりおるのう……!
わしの かめはめ波《は》を 残像拳《ざんぞうけん》で かわし 空《そら》に のがれていたとは な…
つぎは オラの攻撃《こうげき》だぞっ!!
ふっふっふ しかし 空中《くうちゅう》にのがれたのは おろかじゃったぞ! 自在《じざい》に身動《みうご》きが とれぬからな!

絶好《ぜっこう》の的《まと》じゃ!!
こんどこそかめはめ波《は》からはのがれられん!!
か…
め…
なっなんじゃと!?
は…
め…
まさか!?
かめはめ波《は》をつかえるというのか!?

ぐおおお
波《は》ーーーっ!!!!

ドン
ドサッ
どん

タッ
う……
……くく……!
やああーっ!!!
ズン
ぎゃっ!!!!

やっ
やばいっ!!!
は…はひ～～……
ねえ まいった?
まいったって いわなきゃ とどめ さしちゃうよ!!
やった!!
勝《か》った ぞっ!!
ふふふ……
え?

ぐっ
えっ!?
ぎゅうっ
あ…!
はあ
はあ
へなへな
ぺたん
いっ いかん!!
悟空《ごくう》はシッポを強《つよ》くにぎられると力《ちから》がぬけてしまうんだっ!!
えっ!?

なんじゃと!? そんなこと わしも しらんかったぞ!!
あいつ シッポが 弱点《じゃくてん》 なのかっ!?
そういえば そうだったんだよ!!
あいつ そのことを 見《み》ぬいていたかの ようだ…
しっているのは オレとプーアルと 牛魔王《ぎゅうまおう》の娘《むすめ》だけだと おもっていたが…
…………
さすがに あいつは 達人《たつじん》だな… あんな弱点《じゃくてん》を 見《み》ぬくとは…
ほっほっほ だらしが ないのう
ゆ… ゆだんした ……
ひゃっ ひゃっ ひゃ 逆転《ぎゃくてん》じゃ 逆転《ぎゃくてん》じゃ!!
こぞう! シッポを きたえるのは さぼったようじゃの!!

そうか…!! やはり あやつの 正体《しょうたい》は…
ふふふ… まさかとは おもったがのう
あやつ 悟空《ごくう》の弱点《じゃくてん》を 見《み》ぬいたわけでは ない
しって おったのじゃ
え!?
なんで すって!?
ビタン
そりゃ!
ドン
バンッ

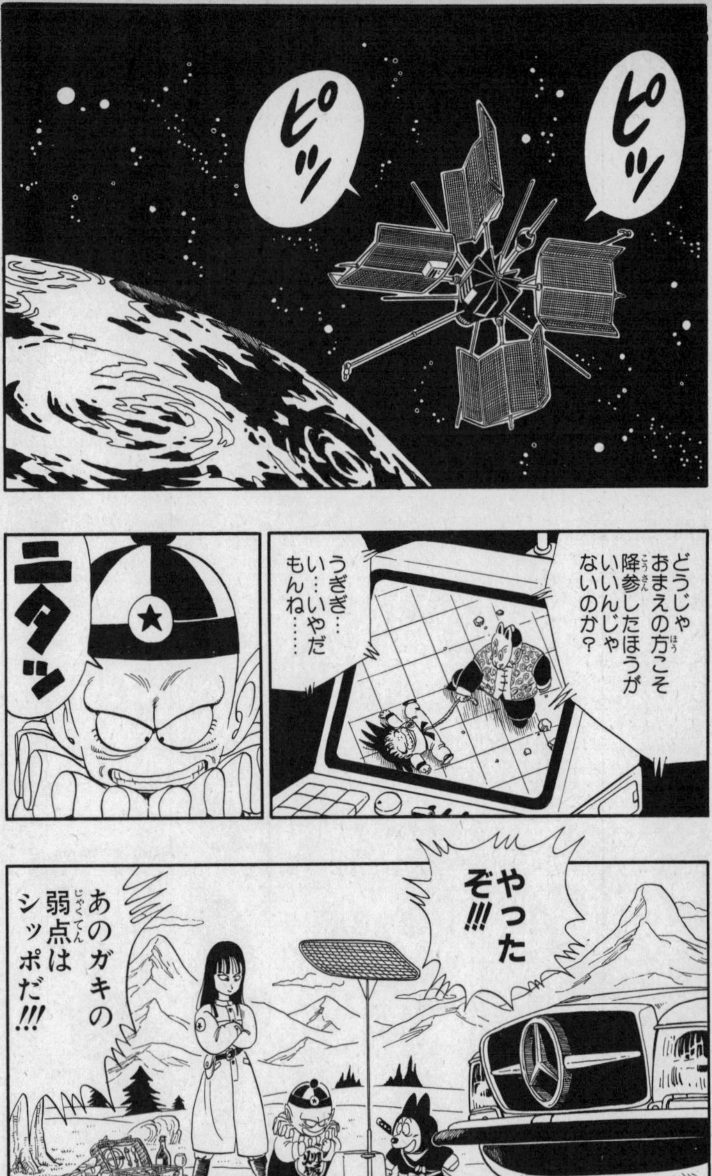
ピピッ
ピピッ
どうじゃ おまえの方《ほう》こそ 降参《こうさん》したほうが いいんじゃ ないのか？
うぎぎ… い…いやだ もんね……
ニタッ
やったぞ!!!
あのガキの 弱点《じゃくてん》は シッポだ!!!

あのオバケこぞうがまたもやドラゴンボールを集《あつ》めているとしったときはどうなることかとおもいましたが
神《かみ》はこのピラフさまを見《み》すててはいなかった!!
わたしに世界《せかい》の支配者《しはいしゃ》になれといっておるのだ!!
この特殊《とくしゅ》ケースにはいっているわたしのドラゴンボールはレーダーにはうつらない
つまりあのガキはぜったいに7つ全部《ぜんぶ》のボールをあつめられないのだ!
しかしわれわれには人工衛星《じんこうえいせい》のドラゴンボールレーダーであのガキが苦労《くろう》してあつめた6つの位置《いち》が手《て》にとるようにわかる!
ピラフさまのいただきだっ!!!
もうあのこぞうはこわくないぞっ!!!

ズオオオオッ
よしっ!!! やつらのドラゴンボールをうばいにゆくぞーっ!!!
しつこいやつじゃのう まだ まいったといわんつもりか?
い… いうもん …か……
だ…だめだ やられちゃうよ…!!
ねえっ!! なんであいつがシッポの弱点《じゃくてん》をしっていたのよっ!!

あやつは死《し》んだ悟《ご》空《くう》の祖《そ》父《ふ》
孫《そん》悟《ご》飯《はん》じゃよ!
ええ――っ!!?
はよう降参《こうさん》せんと死《し》んでしまうぞよ!
ぐおっ
ぶちっ
へ!?

いってーっ!!
ひーほ
ひーほ
し
しまった…!!
シッポが
切《き》れてしもた…!!
ありゃ〜!!
悟空《ごくう》の弱点《じゃくてん》が
なくなってしもうた
わけじゃ!!!

あ　あいつが
悟空《ごくう》の　死《し》んだ
じいさんだって
………!?
……孫《そん》
悟飯《ごはん》…
なっ　なに
バカいってんのよ!!
だって　ずいぶん前《まえ》に
死《し》んじゃったんでしょ!!
そうじゃ
孫悟飯《そんごはん》は
たしかに
死《し》んだ…
ほれ
頭《あたま》の上《うえ》に
天使《てんし》の輪《わ》が
うかんで
おるじゃろ
だ　だったら
なんで……
いちちちち
〜〜〜……!!
よ　よくも
オラのシッポを
ちぎったな〜〜〜!!
…………

さっ
オラ もう おこっちゃった ぞーーーっ!!!!
まいった
わしの負《ま》けじゃ
ふぉっ ふぉっ ふぉっ………

え!?
か…
勝《か》ったのか………?
………む
しょうがあるまい………
強《つよ》うなったな悟空《ごくう》よ…
ようここまで修業《しゅぎょう》した
ななんでオラの名前《なまえ》を…!?
じゃが弱点《じゃくてん》である尾《お》を鍛《きた》えるのは怠《おこた》ったようじゃな注意《ちゅうい》しておいたはずじゃが…
…………

ま……まさか……
まさか……!!
やれやれなさけないのう…
いまごろ気《き》づきおって…
そうじゃ
わしじゃよ

じ…
じいちゃん………
じいちゃん…………!
じいちゃ――ん!!!!
はっはっは!!
じいちゃん
じいちゃん
じいちゃーん!!!
ばっ
わったった!!
こ
これっ!!

え〜〜ん じいちゃ〜〜〜ん!!
バカもん 泣《な》くやつが あるか
あらら 孫《そん》くんが 泣《な》くなんて…
ムリもないさ いくら 強《つよ》くても まだ 子供《こども》なんだからな…
グスン
わるかったな シッポは…
弱点《じゃくてん》を 克服《こくふく》しとらんかった ようじゃから いましめてやろうと おもったんじゃが…
つい力《ちから》が はいり すぎて 切《き》れて しもうた
それにしても ホントに 強《つよ》うなったわい まさか このわしが かなわんとはな
武天老師《むてんろうし》さまに 教《おし》えを いただいたのか?
うん!
老師《ろうし》さま おひさしぶりで ございます
うむ なつかしいのう それにしても まさか おぬしだとは しばらく気《き》が つかなかったぞい
じいちゃん いつ 生《い》きかえった んだ!?
いいや 生《い》きかえった わけではない

武天老師《むてんろうし》さまの姉上《あねうえ》である占《うらな》いババさまは自在《じざい》にあの世《よ》とこの世《よ》を行《ゆ》き来《き》できなさるのじゃ
そして あの世《よ》から死《し》んだ武術《ぶじゅつ》の達人《たつじん》をスカウトしてきて ここで こうやって試合《しあい》をして働《はたら》かせて くださるわけじゃ 高《たか》い給料《きゅうりょう》でな
だったら また オラとくらせるのか!?
いや いや
そういうわけにはいかん この世《よ》に もどれるのは たったの1日《にち》だけじゃ
じゃあ きょう ふたりが出会《であ》ったのは ぐうぜん!?
いいや 姉《ねえ》ちゃんは占《うらな》いで未来《みらい》がよめる きょう わしらが来《く》ることをしっておったんじゃろ?
へっへっへ あたりまえじゃ
万《まん》が一 シッポのあるこぞうがたずねてくることがあったら教《おし》えてほしいとたのまれておったんじゃ
悟飯《ごはん》のマゴじゃとは しらんかったがのう

悟空《ごくう》のことが気《き》になっておったのですがまさか武天老師《むてんろうし》さまの下《もと》で修業《しゅぎょう》しておったとは
ありがとうございます これで 安心《あんしん》して あの世《よ》にかえれますわい
ぼそ ぼそ
ところで悟空《ごくう》のやつ大猿《おおざる》にはなりませなんだか？
ぼそ ぼそ
安心《あんしん》せい わしが月《つき》をこわしてからは平和《へいわ》そのものじゃ
え？なになに!?
あ!! いや なんでもないのじゃ!!
そうだ!! じいちゃんにいいもの見《み》せてやる!!
ん？
へへへ〜 ちゃんともってるぞ!!
ほう！ それは昔《むかし》にわしがひろった…
ありゃ!? なんでおなじようなのがいくつも あるのじゃ？
その玉《たま》のおかげで孫《そん》くんの人生《じんせい》が変《か》わったのよ!!
へ？

…と いうわけ
ほお〜
ほえ〜〜〜 そういうことじゃったか…! ちっとも知《し》らんかったわい
よかったな!! これで おまえのオヤジは ぜったいに生《い》き返《かえ》るさ!!
で… でも…
悟空《ごくう》さんのおじいさんも死《し》んで いらっしゃるのにボクの父上《ちちうえ》だけ…
はっはっは! かまうことはないぞよ
わしは あの世《よ》もけっこう気《き》にいっておる! ピチピチした娘《コ》もたくさん おるしのう!

女好《おんなず》きなのは さすがに 老師《ろうし》さまの 一番弟子《ばんでし》だけ ありますね
よけいな おせわじゃ！
あ ありがとう ございます!!
さて
では おまえたちが 勝《か》ったんじゃ 約束《やくそく》どおり 占《うらな》ってやるわい！
とん
それでは
わしは そろそろ あの世《よ》へ かえらせて もらいますわい
じいちゃん もう かえっちゃう のか!?
悟空《ごくう》の たくましく成長《せいちょう》した 姿《すがた》を見《み》られたから うれしかったわい
老師《ろうし》さま そして 友《とも》だちの みなさん これからも この わんぱくぼうず を よろしく おねがいします
ババさま どうも ありがとう ございました
うむ では また 達者《たっしゃ》で 死《し》ねよ
遠《とお》い未来《みらい》 あの世《よ》で さらに成長《せいちょう》した おまえの姿《すがた》を見《み》るのを 楽《たの》しみにしておるぞ！
うんっ!!

では
みなさんも
いずれ　あの世《よ》で
お会《あ》いしましょう
…………
…………
…………
あの世《よ》でね…………
おぬしも
元気《げんき》でな………
………と
いうのは
変《へん》かな……
はっはっ
は
バイバイ
じいちゃん!!
オラ　会《あ》えて
うれしかった!!
うむ!
では
ごきげん
よう…
ふっ
さよう
なら…

じいちゃん!
オラ こんどまた シッポはえたら シッポも鍛《きた》えて もっと もっと 強《つよ》くなるからなっ!!
それいじょう 強《つよ》うなったら わしの立場《たちば》は どうなるんじゃ……!
ほれ! 占《うらな》って やるぞよ!
7個《こ》めの その玉《たま》の ある場所《ばしょ》 じゃったな!
ほいほい ほいの ほいさっさ——っ
どれ……
ボーーー

ふむ ふむ……
おや? うごいて おるな……
うごいてる ………?
つまり この 走《はし》っておるクルマの 中《なか》に その玉《たま》が あるのじゃ! みえるか?
うん! みえる
でも なんで そんなことぐらいで レーダーに うつらないの かしら…!
カチッ カチッ
へんだわ! ………
場所《ばしょ》は!? どこを 走《はし》ってるの!?
この方向《ほうこう》 200キロの あたりを こっちに 向《む》かって来《き》ておる
ニタッ
ちかいぞ!!

ぬりえ

おスキな色《いろ》でぬって豪華《ごうか》なフンイキをあじわいましょう

扉《トビラ》ページ大特集《だいとくしゅう》VIII

おまたっ！「扉《トビラ》ページ大特集《だいとくしゅう》」です。
この巻《かん》に収録《しゅうろく》した各話《かくわ》の扉《トビラ》を週刊少《しゅうかんしょう》年《ねん》ジャンプに載《の》ったそのままで大公開《だいこうかい》だ〜〜〜〜〜〜〜〜〜〜〜〜っ!!

ドラゴンボール

DRAGON BALL

其《そ》之《の》九《きゅう》十《じゅう》九《きゅう》　5人《にん》の戦《せん》士《し》

鳥《とり》山《やま》明《あきら》
BIRD STUDIO

オレ達《たち》は誰《だれ》にも負《ま》けない!!

ドラゴンボール

DRAGON BALL

ヤムチャの狼《ろう》牙《が》風《ふう》風《ふう》拳《けん》爆《ばく》発《はつ》!!!

其《そ》之《の》百《ひゃく》　大《だい》流《りゅう》血《けつ》戦《せん》

鳥《とり》山《やま》明《あきら》 BIRD STUDIO

〈孫《そん》悟《ご》空《くう》チーム〉

クリリン
プーアル〈ウパ〉
ヤムチャ
孫《そん》悟《ご》空《くう》

〈占《うらな》いババチーム〉

ドラキュラマン
?
?
?
?

クリリンの負け（クリリン ― ドラキュラマン）

ドラキュラマンの負け（プーアル〈ウパ〉 ― ドラキュラマン）

Dragon Ball

ドラゴンボール

鳥山明《とりやまあきら》
BIRD STUDIO

快調《かいちょう》 ムチャの相手《あいて》は!?

其之百一《そのひゃくいち》　悪魔《あくま》の便所《べんじょ》

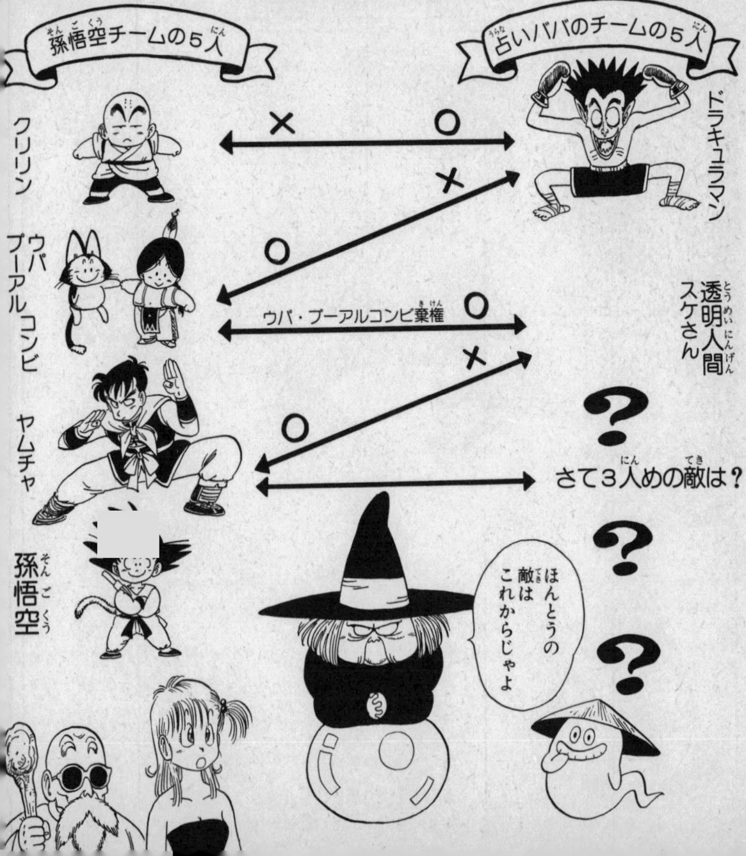

孫悟空《そんごくう》チームの5人《にん》
占《うらな》いババのチームの5人《にん》
クリリン
ドラキュラマン
×
○
×
○
ウパ プーアルコンビ
ウパ・プーアルコンビ棄権《きけん》
○
透明人間《とうめいにんげん》スケさん
×
○
ヤムチャ
さて3人《にん》めの敵《てき》は？
孫悟空《そんごくう》
ほんとうの敵《てき》はこれからじゃよ

ドラゴンボール

DRAGON BALL

"悪《あく》魔《ま》の便《べん》所《じょ》"対《たい》決《けつ》、最《さい》高《こう》潮《ちょう》!!!

其《そ》之《の》百《ひゃく》二《に》　孫《そん》悟《ご》空《くう》見《けん》参《ざん》

鳥《とり》山《やま》明《あきら》 BIRD STUDIO

ドラゴンボール

DRAGON BALL

悟《ご》空《くう》VS《バーサス》ミイラくん大《だい》対《たい》決《けつ》!!!

其《そ》之《の》百《ひゃく》三《さん》　孫《そん》悟《ご》空《くう》　強《つよ》し!!

鳥《とり》山《やま》明《あきら》
BIRD STUDIO

ドラゴンボール

DRAGON BALL

オラ、だれにも負《ま》けないっ!!!

其《そ》之《の》百《ひゃく》四《よん》　アクマイト光《こう》線《せん》

DRAGON BALL

ドラゴンボール

其《そ》之《の》百《ひゃく》五《ご》
五人《にん》目《め》の男《おとこ》

鳥《とり》山《やま》明《あきら》
BIRD STUDIO

こいつ強《つよ》いのかなあ。

1987　めでた　めでたの　巻頭《かんとう》カラー

ドラゴンボール

DRAGON BALL

悟空《ごくう》VS《バーサス》悟飯戦《ごはんせん》、決着《けっちゃく》!!

鳥山明《とりやまあきら》
BIRD STUDIO

其之百八《そのひゃくはち》　孫悟飯《そんごはん》

DRAGON BALL
連載《れんさい》2周年記念《しゅうねんきねん》プレゼント②

おかげさまでドラゴンボールも、このたび連載《れんさい》2周年《しゅうねん》をむかえることができました。感謝《かんしゃ》、感謝《かんしゃ》でございます。
そこで、応援《おうえん》してくださいました皆様《みなさま》にお礼《れい》として、テレホンカードに、ボクが1枚《まい》ずつ絵《え》とサインをかいて、送《おく》らせていただきます。抽選《ちゅうせん》で、3週連続《しゅうれんぞく》、毎回《まいかい》たったの5名様《めいさま》ですが、どしどし応募《おうぼ》してください。

●官製《かんせい》ハガキにドラゴンボールのなかから好《す》きなキャラクターをひとりだけかいて、ください。住所《じゅうしょ》、氏名《しめい》、年齢《ねんれい》も、お忘《わす》れなく。
★第《だい》2回目《かいめ》の今週《こんしゅう》は、ブルマの絵《え》をかいたテレホンカードを5名様《めいさま》に。

●あて先《さき》➡〒101—91東京都千代田区神田局　私書箱第66号　集英社　少年ジャンプ　DRAGON②係
●しめきり➡2月《がつ》2日《かげつ》(月)　★公正取引委員会《こうせいとりひきいいんかい》の告示《こくじ》にもとづき、この懸賞《けんしょう》に入賞《にゅうしょう》された方《かた》は、この号《ごう》の他《た》の懸賞《けんしょう》に入賞《にゅうしょう》できない場合《ばあい》があります。★発表《はっぴょう》は発送《はっそう》をもってかえさせていただきます。

※このプレゼントは、雑誌掲載時《ざっしけいさいじ》のもので
今《いま》からハガキ出《だ》しても、あたりません!

ぬりえ

おスキな色《いろ》でぬって豪《ごう》華《か》なフンイキをあじわいましょう

ドラゴンボールやわたくしに
関《かん》することならなんでも
よろしいです。
ジャカスカおハガキ
をくださいまし。

Q 今《いま》さらですけど、佐助《さすけ》くんのお誕生《たんじょう》、おめでとうございます。おむつ替《か》えとかミルクを飲《の》ませたりとか、先生《せんせい》がいろいろやってらっしゃるそうですけど、いいおとーさんで、奥《おく》さんがうらやましい(?)です。

埼玉県《さいたまけん》・吉田里絵《よしだりえ》

A どうもありがとうごぜーますだ。最近《さいきん》、ジャンプに読切《よみきり》を1本《ぽん》かいたせいで、ムチャクチャ忙《いそが》しくなってしまい、同《おな》じ家《いえ》の中《なか》にいながら、ほとんど佐助《さすけ》とコミュニケーションをとれない状態《じょうたい》が続《つづ》きました。ボクが起《お》きてる時《とき》は佐助《さすけ》が寝《ね》てるし、佐助《さすけ》が起《お》きてる時《とき》はボクが寝《ね》てたり、仕事《しごと》してたりで…。そんなわけで、父親《ちちおや》のカオを忘《わす》れられ「ベロベロバー!」などとあやしたら、いきなり泣《な》きだされてしまいました。〃これはヤバイ!〃と思《おも》ったボクは、その後《あと》、いちいちカオを合《あ》わせるたびに「おとーさんだぞ、ボクがおとーさんだぞ」と、しつこくいいきかせております。

…というわけで、近頃《ちかごろ》のボクは全然《ぜんぜん》いいおとーさんではありませんでした。反省《はんせい》しております。

* *

Q 次《つぎ》の質問《しつもん》に答《こた》えてください。①クリリンの頭《あたま》の明《あか》るさは何《なん》ワットくらい? ②悟空《ごくう》の如意棒《にょいぼう》はどれくらい伸《の》びる? ③4巻《かん》の87ページでクリリンがハナクソ飛《と》ばしてますが、クリリンはハナがないのでは?

群馬県《ぐんまけん》・小林伸夫《こばやしのぶお》

A ①う〜ん、これはむずかしい…。どれくらいだろう。まあ、ようするに太陽光線《たいようこうせん》なんかが反射《はんしゃ》したときにまぶしいだけだからね。②これまたやっかいな質問《しつもん》だね…。如意棒《にょいぼう》を伸《の》ばして月《つき》まで行《い》ったことがあるくらいだから、少《すく》なくても38万《まん》キロメートルくらいは伸《の》びるということになるね。③ハッキリいってこの質問《しつもん》はムチャクチャたくさん来《き》ました。たぶん1000通《つう》くらいは来《き》たと思《おも》うけど、うまくごまかせないので知《し》らんぷりをしておったわ

とりやまさんの DRAGON BALL ドラゴンボール なんでもかんでもコーナー

けです。ほかのみなさんにもあやまってしまいます。ゴメン！

Q 先生《せんせい》のマンガに出《で》てくるバイクや車《くるま》、それに服《ふく》もかっこいいです。「センスいいなー」なんて感心《かんしん》してしまいます。

東京都《とうきょうと》・大田紀子《おおたのりこ》

A どうもありがとう。センスがいいか悪《わる》いかは、ようわかりませんけど、バイクや車《くるま》や服装《ふくそう》なんかを考《かんが》えるのは好《す》きなんです。

Q 先生《せんせい》が実際《じっさい》に中国《ちゅうごく》に行《い》って見学《けんがく》してきたと知《し》って「このマンガに、よほど賭《か》けていたんだな」と思《おも》いました。

石川県《いしかわけん》・丹後和久《たんごかずひさ》

A いや実際《じっさい》のところは、前《まえ》からあこがれていた中国《ちゅうごく》へ、奥様《おくさま》とふたりで、ただ遊《あそ》びに行《い》ったというのが正《ただ》しいんだけどね。でも、その旅行《りょこう》が、この作品《さくひん》に役《やく》に立《た》ったというのは確《たし》かです。マンガ家《か》というのは、遊《あそ》ぶのも大《たい》切《せつ》なのだ。

＊＊＊＊＊＊＊＊＊＊＊＊＊＊＊＊＊＊＊＊

☆おねがいがあります。お手紙《てがみ》は、なるべくハガキに書《か》いて送《おく》ってください。とくにこのコーナーは、すべてハガキから選《えら》ばせてもらっています。わがままいって、もうしわけありませんが、よろしくおねがいします。

★てなわけで『ドラゴンボールコーナー』では、みんなのアホ話《ばなし》を募集《ぼしゅう》しとりやす。採用者《さいようしゃ》には、もれなくわしの色紙《しきし》を送《おく》っちゃいます。〈あて先《さき》〉〒101東京都千代田区神田局私書箱第66号　集英社　週刊少年ジャンプ「ドラゴンボールコーナー」係★ハガキ、待《ま》っとるじぇ

★みんな、わしのファンクラブがあるのは、知《し》っとったよね!! 実《じつ》は大変《たいへん》うれしいことに会員数《かいいんすう》が定員《ていいん》に達《たつ》してしまったのじゃ!! これもひとえに、みんなのおかげでやす。感謝《かんしゃ》感謝《かんしゃ》!! てなわけで、むちゃんこ残念《ざんねん》すけど最初《さいしょ》の約束《やくそく》どおり募集《ぼしゅう》は終《お》わらせていただきやす。これから会員《かいいん》になろうと思《おも》っとった人《ひと》ごめんね!! 入《はい》れんかった人《ひと》は、ジャンプ・コミックスで、これからも応援《おうえん》してチョ!!

電話《でんわ》・03（263）0389

■ジャンプ・コミックス

DRAGON《ドラゴン》 BALL《ボール》

9 こまったときの占いババ

1987年9月15日　第1刷発行
1989年8月15日　第20刷発行

著者　鳥山　明

発行人　木曽義昭

発行所　株式会社　集英社
東京都千代田区一ツ橋2丁目5番10号
〒101-50　電話　東京(230)6191

印刷所　株式会社美松堂印刷所
中央精版印刷株式会社

ISBN4-08-851839-X C0279